Y0-BBX-420

Blancanieves

Snow White

Ilustrado por Belén Eizaguirre, Mª Isabel Nadal
y Juan Pablo Navas

Érase una vez un hombre muy rico que tenía una hija muy hermosa que fue llamada Blancanieves por su hada madrina.

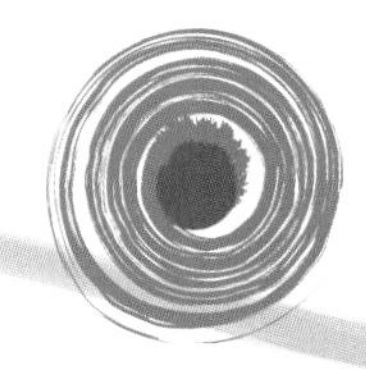

There was once a very wealthy man who had a very beautiful daughter who was named Snow White by her fairy godmother.

La madre de Blancanieves había muerto al nacer ella y, cuando la niña cumplió quince años, su padre se casó de nuevo. La madrastra era tan soberbia que se creía la mujer más bella del mundo.

Her mother had died when Snow White was born and when the girl was fifteen years old her father married again. Snow White's stepmother was so arrogant that she was convinced she was the most beautiful woman in the world.

Todos los días se miraba al espejo encantado que le había regalado un mago y le preguntaba:

—Espejo, espejito, ¿quién es la mujer más bella del reino?

—Tú eres la más bella —contestaba el espejo.

Every day she looked at herself in a magic mirror that a wizard had given her, and asked: "Mirror, mirror on the wall. Who is the fairest of them all?" "You are, my lady," the mirror would answer. "You are the fairest!"

Pero un día el espejo le dijo:
—¡Blancanieves es más hermosa que tú!
Llena de rabia, la madrastra ordenó a uno de sus criados que condujera a Blancanieves hasta un bosque lejano y la matara.

But one day the mirror answered, "Snow White is lovelier than you!" Furious, the stepmother ordered one of her servants to take Snow White to a distant forest and kill her.

Los dos caminaron durante varios días, pero cuando llegaron al lugar indicado, el criado sintió lástima por Blancanieves.

—Vete —le dijo, incapaz de cumplir la orden.

The two of them walked for several days, but when they reached their destination, the servant felt pity for Snow White. "Go!" he said, unable to carry out his orders.

Cuando el sol comenzaba a ocultarse, Blancanieves llegó a una casita cerca de un arroyo. Llamó a la puerta, pero nadie respondía y, como estaba muy cansada, entró.

When the sun was beginning to set, Snow White arrived at a little house near a stream. She knocked at the door, but nobody answered and, because she was tired, she went inside.

Blancanieves se quedó dormida.
La casita era de unos enanitos que,
al volver de su trabajo, se quedaron
admirados contemplando aquella hermosa
muchacha que descansaba plácidamente.

Snow White fell asleep right away. The little house belonged to some dwarves and, when they got home from work, they were amazed to find a beautiful girl resting there peacefully.

—¡Se quedará con nosotros! —dijo el mayor.

Cuando Blancanieves se despertó y vio a los enanitos, creyó que estaba soñando. Pero pronto se dio cuenta de que eran muy buenos y la trataban con cariño, así que decidió quedarse a vivir con ellos.

"She will stay with us!" said the oldest one. When Snow White woke up and saw the dwarves, she thought she was dreaming. But she soon realized that they were very kind and they treated her with affection, so she decided to stay with them.

Pasaron los días y la madrastra era feliz, pues se creía de nuevo la mujer más bella del reino. Una mañana volvió a preguntar al espejo:

—Espejo, espejito, ¿quién es la más hermosa del reino?

The days passed and Snow White's stepmother was happy because she thought that she was the most beautiful woman in the kingdom. One morning, she asked the mirror again, "Mirror, mirror on the wall. Who is the fairest of them all?"

—Blancanieves, que vive con los enanitos del bosque, es más hermosa que tú —respondió el espejo.

Ciega de ira, la madrastra ideó un plan para asegurarse de que esta vez acababa con su rival.

"Snow White, who lives in the forest with the dwarves, is fairer than you," answered the mirror. Blind with rage, the stepmother thought of a plan to make sure that this time she would get rid of her rival.

Se disfrazó de anciana y, con un cesto lleno de manzanas envenenadas, fue a casa de los enanitos.

—Vendo manzanas deliciosas —pregonó al llegar a la casita.

She disguised herself as an old woman and, carrying a basket filled with poisoned apples, she went to the dwarves' house.

"Delicious apples for sale!" called the woman, when she arrived at the house.

Blancanieves, que hacía mucho que no veía pasar a nadie por allí, salió a hablar con la mujer.

—¿Quieres una? —le preguntó la anciana amablemente, ofreciéndole la más grande, más roja y más brillante.

Snow White, who had not seen anyone pass by for a long time, came outside to speak with the old lady. "Would you like one?" asked the woman kindly, offering Snow White the biggest, reddest, shiniest apple.

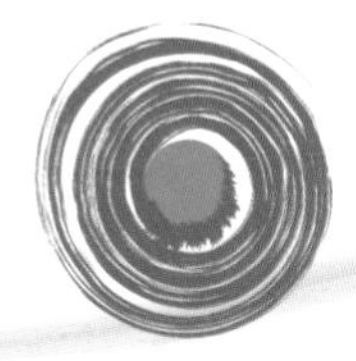

Blancanieves, ante aquella manzana tan apetitosa, aceptó. Pero apenas hubo dado el primer mordisco, cayó muerta a los pies de su malvada madrastra que enseguida se alejó riendo por el bosque.

When Snow White saw such a tempting apple, she accepted it. But no sooner had she taken the first bite than she fell dead at the feet of her wicked stepmother, who immediately ran off through the forest, laughing.

Cuando los enanitos volvieron a casa y encontraron a Blancanieves, lloraron desconsolados. Al día siguiente, prepararon un lecho de flores y la llevaron a la gruta donde trabajaban, con idea de enterrarla allí.

When the dwarves came home and found Snow White, they cried bitterly. The next day they built a bed of flowers and carried Snow White to the cave where they worked, to bury her there.

Pero entonces llegó un apuesto príncipe a caballo. Al ver a Blancanieves se quedó tan prendado de su hermosura que no pudo evitar besarla.

But suddenly, there appeared a handsome prince on horseback. When he saw Snow White, he was so captivated by her beauty he could not help kissing her.

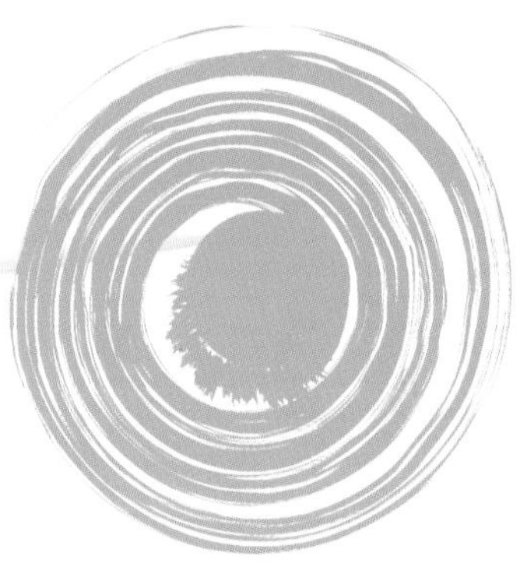

Y de repente ocurrió el milagro: Blancanieves volvió a la vida. Cautivado por su gran belleza y buen corazón, el príncipe le pidió que se casara con él.

Then a miracle happened: Snow White came back to life. Captivated by her great beauty and kind heart, the prince asked her to marry him.

Y así fue la reina de un gran país, donde vivió dichosa hasta el final de sus días.

And thus she became the queen of a great country, where she lived happily till the end of her days.